TOMMY L'ENFANT-LOUP

À Alice et Sophie

Les aventures de Bill Bilodeau, l'ami des animaux

AVANT de dormir, mes filles me demandent souvent de leur raconter des histoires du temps de ma jeunesse, à Arvida, au Saguenay. Là-bas, mon frère et moi, on a vécu notre enfance à côté de la forêt, dans une ville où il n'est pas rare pour un joggeur de croiser dans sa course matinale, à l'orée du bois, un renard en chasse ou un orignal égaré. Comme tous les enfants, on essayait de rester le plus loin possible des adultes et de régler nos affaires en secret, mais, quand un problème était vraiment trop gros pour nous, on savait qu'on pouvait toujours compter sur un homme de confiance.

Ce monsieur-là était le gardien de toutes les créatures des environs, mais surtout des animaux et des enfants.

Ce monsieur-là s'appelait Bill Bilodeau.

L'auteur remercie Marie-Andrée Gill
de l'avoir guidé à Mashteuiatsh.

—

Le Quartanier remercie de leur soutien financier
le Conseil des arts du Canada et la Société de développement
des entreprises culturelles du Québec (SODEC).

Gouvernement du Québec – Programme de crédit d'impôt
pour l'édition de livres – Gestion SODEC.

Canadä

Diffusion au Canada : Dimedia
Diffusion en Europe : La librairie du Québec (DNM)

© 2015 LE QUARTANIER
© 2015 SAMUEL ARCHIBALD
© 2015 JULIE ROCHELEAU

Dépôt légal, 2015
Bibliothèque et Archives nationales du Québec
Bibliothèque et Archives Canada

ISBN 978-2-89698-226-4

Le Quartanier Éditeur
C.P. 47550, CSP Plateau Mont-Royal
Montréal (Québec) H2S 2S8
WWW.LEQUARTANIER.COM

SAMUEL ARCHIBALD

TOMMY L'ENFANT-LOUP

Les aventures de Bill Bilodeau, l'ami des animaux

JULIE ROCHELEAU

ILLUSTRATIONS

Le Quartanier

1

LA NUIT DES QUATRE CHASSEURS

L'HISTOIRE que je raconte commence par une nuit de juin très froide, dans la réserve faunique des Laurentides. Ça peut paraître bizarre, même si ça ne l'est pas tant que ça pour les gens de là-bas, mais il neigeait.

Les neiges de juin, dans les montagnes, augurent souvent d'étranges prodiges. Un vent d'hiver chasse la chaleur en dessous des sapins et la terre en se crispant exhale de grandes volutes de brume autour des habitations et le long des chemins. Les gens attendent que l'anomalie passe, cachés dans leur petit camp en bois rond, en priant pour que le vent de nulle part n'arrache pas le toit d'au-dessus de leur tête. C'est souvent durant ces nuits-là, d'ailleurs, que les gens en profitent pour se conter des peurs, pour se raconter des histoires de fantômes et de monstres, avant d'aller se coucher tout excités et tout tremblants dans leurs lits.

Cette nuit-là, il y avait quatre chasseurs assis dans un camp, penchés sur la table dans le halo d'une lampe à l'huile. Ils essayaient d'oublier la noirceur et le vent fou qui soufflait dehors en jouant aux cartes et en riant trop fort de leurs propres blagues. Ils essayaient de garder les yeux rivés sur le visage des autres pour ne pas voir leurs ombres affolées qui dansaient sur les murs comme des figures de cauchemar. Ils approchaient tranquillement du moment de la soirée où ils auraient d'habitude commencé à se raconter des histoires, mais ils n'en ont pas eu besoin : une histoire est arrivée vers eux, charriée sur le pas de leur porte comme des feuilles mortes par le nordet.

J'ai oublié leurs noms, aux chasseurs, mais je me souviens que l'un d'entre eux avait une casquette des Expos, qu'un autre était très grand et que le troisième ne chassait pas vraiment et qu'il était là surtout pour passer un peu de temps avec ses amis dans la nature. Le quatrième était un gros peureux. Pour lui, même les nuits normales en forêt étaient

pleines d'ombres effrayantes et le moindre cra-
quement de branche pouvait indiquer la présence
d'un prédateur tapi dans les ténèbres. Il redou-
tait l'ours noir comme le coyote, le lynx comme le
carcajou. Il craignait, plus que toute autre chose,
l'esprit maléfique de la forêt qui peut vous rendre
cannibale ou fou furieux, et que les peuples algon-
quiens appellent le Wendigo.

Il n'allait donc jamais chercher de l'eau à la source
sans apporter son fusil, ce qu'il a fait ce soir-là. La
source était située au bout d'un petit sentier quasiment refermé par les branches des saules, juste à
côté d'un étang d'où s'élevait un épais brouillard.
Pendant qu'il finissait de remplir un seau d'eau
en tremblant, le gros peureux a vu deux grands
yeux rouges qui le regardaient depuis l'autre côté
de l'étang. Le chasseur a eu trop peur même pour
crier, mais il a réussi à décrocher son fusil et à tirer
deux grands coups de feu imbéciles sur la silhouette
noire qui se détachait des hautes herbes dans le
clair de lune.

Le peureux est revenu au camp pour dire aux
autres qu'il avait tué un loup. Les autres ont eu
bien de la misère à le croire, parce que les loups,
ils disaient, ça ne s'approche pas comme ça de la

maison des hommes. Ils l'ont quand même suivi jusqu'à la source et ils ont pataugé avec lui aux abords de l'étang et marché dans le bois jusqu'à ce que le plus grand des quatre chasseurs pointe, avec le faisceau de sa lampe de poche, un animal mort couché dans la mousse entre deux sapins.

Le peureux avait réussi à abattre un animal, mais ce n'était pas un loup.

C'était une louve.

Elle avait les tétines tellement pleines de lait qu'on aurait dit des seins de femme. Les trois chasseurs ont regardé longtemps la bête morte avant de revenir vers leur peureux en poussant des patois châtiés comme « friffe », « maudaille » et « sabardasse ».

Leurs visages étaient l'image même de la consternation.

Reprenant ses esprits, celui des chasseurs qui était très grand a dit :

— Vite, les gars, il faut trouver les louveteaux, sinon ils vont mourir eux autres aussi.

Le grand chasseur avait raison. Sans leur mère, les petits loups n'avaient aucune chance. Ils étaient trop jeunes pour survivre seuls dans cette forêt décharnée entre les froidures de janvier et les chaleurs de fournaise de juillet et août. Les hommes se sont donc mis en chasse dans les alentours, jusqu'à ce qu'ils entendent un petit gémissement en dessous d'une souche à demi arrachée. Celui des chasseurs qui avait une casquette des Expos s'est mis à farfouiller dans la petite grotte avec sa main, en plongeant son bras au fond du trou jusqu'à l'épaule. Il l'en a ressorti, tout blême de peur. Il a dit :

— Sabardasse, c'est à croire que leur grand frère est avec eux autres. Il y a quelque chose de gros qui essaye de me mordre, là-dedans.

Alors, celui des hommes qui était très gentil et qui n'était pas vraiment un chasseur a dit :

— Laissez-moi faire.

Il s'est penché pour mettre la main juste au-dessus du trou et il a plongé le bras d'un seul coup dans la tanière pour en extirper les louveteaux un par un.

Il en a sorti :

Un petit loup tout blanc.

Un petit loup tout noir.

Et un petit loup tout gris.

Pendant qu'il sortait les louveteaux, on entendait les mâchoires du quatrième loup claquer dans la noirceur. Plusieurs fois, le monsieur gentil a dû

retirer son bras aussi vite qu'il l'avait rentré pour éviter d'être mordu.

Quand il est venu pour attraper le dernier louveteau, on a entendu grogner encore plus fort, puis le bonhomme s'est écrié :

— AYOYE, BOUT D'VIARGE !

Il s'était fait mordre. Il a regardé sa main et il a vu que ce n'était pas la morsure d'une bête. Les traces étaient celles d'une dentition humaine.

Quand il l'a montrée aux autres, leurs visages étaient l'image même de la stupéfaction.

Et c'est là que le grand frère est sorti du trou d'un seul coup et a sauté sur le monsieur gentil comme pour le tuer, en poussant un cri à glacer le sang, un vrai hurlement de bête enragée. Les autres chasseurs ont détalé comme des lièvres avec chacun un petit loup dans les bras. Ils avaient vu que le monstre était une sorte de créature mi-homme, mi-loup, avec des crocs et des griffes. Elle était couverte de sang et de crasse et dotée d'une vraie crinière de lion, noire comme le poêle. Les chasseurs sont retournés s'enfermer dans le chalet. Celui qui portait une casquette des Expos a mis les petits louveteaux dans un cageot à lait pendant que les deux autres se cachaient derrière le grand divan-lit,

transformé en barricade, en visant la porte avec leur fusil de chasse. Ils étaient convaincus que leur ami était mort et que le monstre sanguinaire allait attaquer le camp d'une seconde à l'autre.

Ils ont attendu, transis de peur. Ils ont entendu des pas se rapprocher dans l'herbe et monter une par une les marches qui menaient à l'entrée du chalet. Le chasseur avec une casquette des Expos a enlevé le cran de sûreté de son fusil. On s'est mis à tourner dans un sens puis dans l'autre la poignée verrouillée de la porte. On a cogné trois coups rapides contre le montant. Puis, une voix grave a résonné dans l'air froid du dehors au milieu des flocons de neige qui recommençaient à tomber :

— Voulez-vous bien m'ouvrir, bande d'idiots ?

Les chasseurs ont débarré la porte et ont laissé entrer leur ami qui tenait dans ses bras la chose. Elle était recroquevillée et endormie contre le large torse du bonhomme. Les chasseurs se sont ainsi aperçus que le monstre n'était pas un monstre, mais un petit garçon d'à peu près sept ans, tout crasseux, maigre comme un clou et à moitié mort de froid.

Comme très souvent les bonnes histoires, l'histoire que je raconte est celle d'un orphelin.

2

LE LOUP-GAROU D'ARVIDA

O N A CONFIÉ les louveteaux orphelins à un refuge pour animaux au Lac-Saint-Jean et le petit garçon à Carole et Michel, un jeune couple d'Arvida qui venait de s'offrir comme famille d'accueil parce qu'ils n'étaient pas capables d'avoir des enfants. On n'a raconté nulle part cette étrange nuit. Ni dans les journaux, ni aux nouvelles, ni à la radio. Ce n'était pas une histoire qu'on voulait ébruiter, pour le bien du petit homme. Les parents en parlaient parfois, dans les chaumières, tard le soir, en pensant que les enfants n'entendraient pas, mais les enfants entendent toujours. Carole et Michel ont appelé le petit garçon Tommy, mais les enfants de l'école Notre-Dame-du-Sourire l'appelaient toujours « Tommy l'enfant-loup ». Je le sais, parce que Tommy habitait dans la même rue que mon frère et moi. Il était en sandwich entre nous deux, qui avons trois ans de différence.

C'était du bien bon monde, Carole et Michel. On les avait choisis, justement, parce que Carole était orthophoniste. Elle aidait les gens qui l'avaient perdue à retrouver la parole. Tommy était pratiquement un animal quand on le lui a amené. La parole, il ne l'avait jamais eue, mais en travaillant avec lui tout le temps, les soirs et les fins de semaine, Carole a réussi à faire sortir de sa bouche de moins en moins de grognements et de plus en plus de mots, puis de phrases. Au bout d'un an, Tommy était devenu un enfant quasiment normal.

Quand je dis « quasiment normal », je veux dire qu'il avait quand même pas mal de manies bizarres aux yeux des gens du coin.

Il n'endurait pas de se faire couper les cheveux et aimait mieux garder sa crinière de lion, qui lui descendait jusqu'aux fesses.

Il portait ses pantalons très haut sur la taille, ce qui les faisait remonter bien au-dessus des chevilles. Les gens qui riaient de lui disaient qu'il avait « de l'eau dans la cave ».

Il aimait mieux dormir roulé en boule en dessous de son lit que couché dedans.

Il courait plus vite que tout le monde, mais souvent à quatre pattes.

Il faisait toujours pipi et caca dehors, caché dans les buissons.

Il n'aimait pas les légumes, comme n'importe quel enfant, et préférait la viande saignante.

À la récréation et au parc, il se trouvait toujours un promontoire d'où guetter les environs et quand il voyait quelque chose qui le dérangeait, il poussait un hurlement de loup à glacer le sang. On pouvait toujours compter sur lui pour défendre le garçon de première année qui se faisait soulever de terre par les bobettes, le studieux à qui on avait volé les lunettes ou la petite fille qui se faisait tirer les nattes.

Il avait d'autres tics, d'autres manies, comme de manger avec ses doigts et de renifler les gens pour lire dans leur cœur.

Tout le monde le voulait dans son équipe de ballon prisonnier, mais personne ne voulait l'inviter chez lui pour jouer ou être son ami. Tommy ne parlait pas beaucoup aux gens, même aux amis de son âge, et c'est devenu encore pire quand Steven Gagné, l'enfant le plus désagréable, le plus méchant

et le plus idiot de l'école, s'est mis à raconter toutes sortes de menteries sur lui.

Quand il était en cinquième année, la mère adoptive de Tommy est disparue. On a arrêté de la voir dans la rue et aux réunions de l'école. Tout le monde se demandait où elle était passée, mais personne n'osait poser la question. Jusqu'au moment où l'imbécile à Steven (on prononçait ça « Stiveune ») a inventé une histoire juste pour faire son intéressant. Stiveune a raconté partout que Carole s'était sauvée. Il disait qu'on ne le remarquait pas, mais que depuis plusieurs années, Tommy manquait systématiquement l'école les jours de pleine lune. Ses parents l'enchaînaient dans la cave en attendant que ça passe. C'est son père qui prenait soin de lui durant cette partie du cycle lunaire, parce que sa transformation faisait trop peur. Quand Tommy se transformait, il fallait le nourrir d'abats de bœuf et de foie de veau cru. Sa mère ne voulait pas assister à ce spectacle parce que c'était trop dégueulasse. Dernièrement, elle avait fait la gaffe de descendre à la cave. Elle l'avait fait par amour pour son fils, en se disant qu'elle devait être courageuse et que son état ne pouvait pas être si terrible que ça. Pour son malheur, elle avait vu Tommy se métamorphoser

en créature couverte de poils gris foncé, avec des griffes, de grandes dents pointues et de grands yeux jaunes pleins de méchanceté.

Tommy était un loup-garou, pareil que dans le vidéoclip de Michael Jackson.

Carole avait eu tellement peur qu'elle s'était enfuie d'Arvida sans même prendre le temps de boucler sa valise.

Stiveune avait bien réussi son coup, parce que tout le monde se murmurait cette histoire-là dans le dos de Tommy. Un soir, mon frère et moi, on a décidé d'en parler à notre mère à l'heure du souper.

On a demandé :

— Maman, c'est-tu vrai que Tommy Desbiens, c'est un loup-garou ?

Elle a froncé les sourcils et elle a dit :

— Les enfants, ça n'existe pas, les loups-garous. Qui vous a raconté ces niaiseries-là ?

— Stiveune. Il dit que c'est pour ça que la mère à Tommy est disparue. Parce qu'elle a peur de lui.

Les yeux de ma mère se sont agrandis.

— Mes cocos, Carole n'est pas à la maison ces temps-ci parce qu'elle est malade. Ils la traitent à l'hôpital pour un cancer. Ils devraient vous en parler bientôt à l'école, mais, pour l'amour du ciel, arrangez-vous pour que Tommy entende pas cette histoire-là, le pauvre cœur.

Mais on n'a rien pu faire. Le lendemain, les professeurs et la direction de l'école ont fait une réunion d'information avec tous les enfants de l'école. Ils nous ont dit que Tommy était à l'hôpital avec sa mère malade. Carole allait mourir d'un jour à l'autre. Bientôt, Tommy serait de retour à l'école et il nous faudrait alors être compréhensifs et gentils avec lui. On était tous bien d'accord. Sauf Stiveune Gagné. Il était jaloux de l'attention que recevait Tommy et fâché parce que tout le monde le traitait de menteur et d'abruti avec son histoire de loup-garou.

Il était tellement frustré que, le matin où Tommy est finalement revenu à l'école, au lieu de faire comme si de rien n'était comme on nous l'avait demandé, il s'est mis à l'achaler en pleine cour de récréation. On n'en croyait pas nos yeux. Ni nos oreilles.

Stiveune faisait fâcher Tommy en faisant des blagues sur sa mère.

— T'as de la grosse pépeine parce que ta maman est morte, Desbiens ? Je sais pas pourquoi, c'était même pas ta vraie mère.

Ils se sont mis à se battre. Tommy, comme

toujours, se battait comme un vrai chien enragé et Stiveune en profitait pour prendre les enfants autour à témoin :

— Vous voyez bien que c'est pas un enfant normal.

Tommy se défendait farouchement, mais Stiveune était le garçon le plus fort de toute l'école. En plus, Stiveune s'était tellement raconté à lui-même son histoire à coucher dehors qu'il se croyait maintenant. Et il s'était mis dans la tête de faire avouer la vérité à Tommy. À un moment, il a attrapé Tommy, l'a plaqué par terre et s'est mis à lui tordre le bras derrière le dos.

Il a crié devant tout le monde :

— Vas-y, Tommy. Dis ce qui est vraiment arrivé à ta mère.

Tommy a craché entre ses dents :

— Ma mère est morte du cancer, gros épais.

Et Stiveune a dit :

— Mauvaise réponse.

Tommy avait mal. Il était blessé et il se retenait de toutes ses forces pour ne pas pleurer. On avait tous un peu peur de Stiveune, mais on a vu qu'il était à la veille de casser le bras à Tommy. Avec mon frère et deux autres, Marilyn Gauthier et Stéphane Blais, on lui a sauté dessus pour lui faire lâcher Tommy. On a réussi à le maîtriser et Tommy a pu se remettre debout et s'éloigner.

Stiveune était en furie et s'est mis à hurler :

— Ta mère est pas morte du cancer, elle est morte de peur à cause de toi !

On aurait donné cher pour que Tommy n'entende pas ça mais il était trop tard.

Il a demandé :

— Quoi ?

Et Stiveune a crié encore plus fort, à pleins poumons :

— C'EST TOI QUI AS TUÉ TA MÈRE, TOMMY DESBIENS ! PARCE QUE T'ES UN MONSTRE !

J'ai revu ça peut-être trois ou quatre fois dans ma vie. Quand tu dis quelque chose à quelqu'un et que c'est comme si tu lui avais donné un coup de poing dans le ventre. Tommy était tout blême. Il a écarquillé les yeux et a bougé un peu n'importe comment sa bouche pendant quelques secondes, comme s'il allait parler. Au lieu de ça, il est parti à la course, très vite, par-delà la cour d'école et jusqu'au boulevard, qu'il a traversé à quatre pattes avant de disparaître dans un boisé. Mon frère, qui était haut comme trois pommes mais qui n'avait peur de personne, a dit à Stiveune :

— T'es vraiment un légume, Stiveune Gagné.

J'ai eu peur que mon petit frère soit obligé de se battre avec lui, mais je pense que, rendu là, même Stiveune savait qu'il avait fait assez de mal comme ça.

TOMMY et son père se sont ramassés tout seuls. Son père n'était pas tellement doué pour être parent et encore moins pour être le parent d'un garçon endeuillé. C'était un monsieur très timide, qui portait de grosses lunettes à monture de métal et qui avait toujours de l'eau dans la cave lui aussi. Il travaillait dans les ordinateurs et avait plus de facilité à interagir avec les machines qu'avec les êtres humains. Il n'avait jamais aimé beaucoup sa vie avant que Carole soit dedans et il ne savait pas comment il allait y arriver sans elle. Les gens l'ignoraient, parce qu'il évitait de parler dans la mesure du possible, mais il était bègue. C'était pire quand il était nerveux et, avec Tommy qui était toujours aux aguets et qui ne tenait pas en place, on aurait dit qu'à chaque fois que Michel voulait lui dire

quelque chose d'important, le temps qu'il arrive à
le sortir, Tommy était déjà loin.

— Ta... ta ta ta ta ta ta ta ta ta ta ta ta ta ta ta ta
ta ta ta ta ta ta ta ta ta mère me manque aussi beaucoup, mon p'tit gars.

Les gens s'inquiétaient un peu de savoir si Michel
serait capable de prendre soin de son fils sans Carole.
Tommy, qui avait de la misère à endurer le linge sur
son dos, arrivait à l'école mal fagoté et pas toujours
bien lavé. On ne savait pas trop ce qu'il mangeait.
Et c'était difficile de savoir, parce qu'il restait toujours tout seul dans son coin. Après la bataille avec
Stiveune, Tommy est devenu encore plus farouche
qu'avant. Il n'aidait plus personne. Il ne parlait plus à
personne. C'est sa mère qui lui avait appris la parole
et on aurait dit qu'il l'avait laissée repartir avec elle.
À la récréation, au lieu de guetter les alentours sur
son mirador, il se trouvait un coin sombre pour se
cacher et pleurer, tout seul, roulé en boule.

Une fois, j'ai dit à mon frère :

— Il pleure sa mère, on dirait bien.

Et mon frère a répondu :

— Laquelle ?

J'ai réalisé alors que, si les histoires que racon-
taient les parents sur Tommy étaient vraies, mon

frère avait raison. Tommy avait perdu sa maman-loup tuée par un coup de fusil inutile et sa mère adoptive venait d'être victime d'un hasard encore plus cruel.

Je me suis dit « Pauvre Tommy. » Toutes ses mères étaient mortes. Et le gars n'avait pas un seul ami sur la Terre.

3

LE SERMENT DU CRACHAT

BON, J'EXAGÈRE un peu. Mon frère et moi, on l'aimait bien, Tommy. Il habitait dans la même rue que nous autres et on n'avait jamais arrêté de lui parler, même si on avait eu peur pendant un bout de temps qu'il soit un vrai loup-garou. En plus, on se sentait mal de n'être pas intervenus plus tôt, durant la bataille avec Stiveune, et on ne voulait pas perdre un joueur pour l'été. Avec Marilyn Gauthier, notre lanceuse étoile, Tommy était un des meilleurs joueurs de notre équipe de baseball, les Lynx de Sainte-Thérèse, dans la Ligue des cinq paroisses. Il jouait au champ, courait les balles à quatre pattes et les attrapait avec sa casquette. Il n'en échappait jamais une et on avait absolument besoin de lui si on voulait garder une chance de vaincre nos ennemis jurés : les Martres de Saint-Philippe, menées par notre adversaire éternel, le lanceur bête et méchant Stiveune Gagné.

On peut dire qu'on était ses amis, donc. Et c'est pour ça qu'il nous a demandé d'aller le trouver dans une de ses cachettes, une bonne fois, sur l'heure du dîner. Il regardait ses cartes de hockey au fin fond de la cour de récréation, assis en petit bonhomme en dessous d'une glissade. Il nous a remerciés d'être venus et il a commencé à se vider le cœur. Il nous a parlé de sa mère qui lui manquait et de son père qui lui faisait pitié. Il a fini par nous avouer qu'il ne se sentait plus vraiment à sa place, à Arvida.

Il nous a parlé aussi de ses rêves.

Tommy faisait des rêves bizarres. Il rêvait qu'il courait dans la forêt, à quatre pattes, à toute vitesse. Il sentait ses muscles plus puissants que d'habitude et son épaisse fourrure le protégeait du froid. Dans ses rêves, il était capable de franchir des ruisseaux d'un seul bond et de se jucher bien droit sur les souches des arbres morts. Il savait qu'il cherchait quelque chose, quelqu'un. Son nez qui n'était plus vraiment un nez captait une odeur lointaine, une odeur amie. Il se dépêchait pour aller la rejoindre.

Chaque fois qu'il faisait le rêve, il se rapprochait un peu plus d'une petite clairière où d'autres loups se tenaient assis en demi-cercle sur la mousse. La veille, il était arrivé jusqu'à eux et il avait pu reconnaître, au milieu du demi-cercle, sa mère-loup qui l'attendait, avec ses frères-loups et d'autres amis. Dans son rêve, il savait que sa mère-loup était à la fois une louve et Carole sa mère adoptive. Lui-même était toujours Tommy mais aussi un véritable loup. Il ne savait pas comment l'expliquer mieux, mais c'était comme ça et, dans son rêve, il était bien.

Il a ajouté :

— Plus j'y pense, plus je me dis que ça serait le temps que je retourne vivre dans le bois. Peut-être que Stiveune a raison, dans le fond. Je ne suis pas comme vous autres. Peut-être que je serais moins malheureux avec les loups. Peut-être que je retrouverais Carole comme dans mes rêves.

Mon frère et moi, on s'est regardés. On ne connaissait rien là-dedans, mais on trouvait que ce n'était pas une très bonne idée qu'il fasse une fugue, là-bas, en pleine nature. Il était peut-être né chez les loups, mais ça ne voulait pas dire qu'il serait capable d'y retourner.

Mon frère a demandé :

— Qu'est-ce qui t'empêche de partir, d'abord ?

Et Tommy a répondu :

— Vous deux. Je vous attendais.

Mon frère et moi, on s'est regardés. Décidément, Tommy était un garçon pas comme les autres.

Il a continué :

— Dans mon rêve, il y avait un petit loup noir et un petit loup châtain qui n'arrêtaient pas de japper comme s'ils voulaient me dire quelque chose. Je savais que c'était vous deux, les frères Archibald.

J'ai dit :

— Est-ce que tu comprenais ce qu'on disait ?

Il a fait non de la tête.

— Non, mais derrière vous, il y avait un vieux loup gris. Il avait l'air très calme et il me regardait. Lui aussi avait l'air d'avoir quelque chose à me dire. Je n'avais aucune idée c'était qui, mais quand je me suis réveillé le matin, j'ai su que vous deux, vous pourriez m'aider.

Mon frère et moi, on s'est encore regardés. Mon frère lui a fait une proposition. Il a dit à Tommy qu'on l'aiderait nous-mêmes à s'enfuir dans la forêt, à condition qu'il donne une dernière chance aux

êtres humains avant. Il lui a dit qu'on connaissait bel et bien un adulte qui était comme le loup de son rêve et qui serait assez sage pour savoir si sa vraie place était parmi les hommes ou dans la forêt.

Tommy a accepté et, pour sceller notre pacte, on a fait le serment du crachat.

Le samedi d'après on a emmené Tommy voir Bill Bilodeau, l'ami des animaux (et des enfants, y compris des enfants-loups).

BILL habitait une petite maison de la rue Neilson, avec Elvis, un chien saucisse aveugle d'un œil et qui avait le jappement le plus grave du monde. On a cogné à la porte et Bill nous a répondu. Bill a fait taire son chien et nous a invités à entrer. Sa maison sentait le chien mouillé et le bois brûlé. Avant même qu'on ait pu lui présenter notre ami, il a dit :

— Je me demandais bien quand tu viendrais me voir, Tommy Desbiens. Je commençais même à me demander si je n'irais pas te parler moi-même, une bonne journée.

On était stupéfaits. Bill nous a fait asseoir tous les trois dans sa salle de travail, sur des chaises pliantes. Il est allé nous chercher chacun un jus de fruits avant de se caler devant nous sur sa grosse chaise en cuir, derrière son bureau.

C'était un vieux bureau de professeur avec des tonnes de livres posés dessus, autour d'une vieille machine à écrire en fonte. Le bureau était placé au fond d'une pièce étroite. Une haute fenêtre dominait le mur du fond. Le long mur de gauche était recouvert d'étagères qui débordaient de livres et de bibelots, surtout des sculptures d'animaux en bois ou en pierre de savon. Sur le mur de droite et derrière Bill, il y avait des affiches, des tableaux et des cadres. Des mappemondes, des plantes et des insectes naturalisés, des scènes nautiques, de grands dessins de toutes les espèces de poissons dans le fleuve Saint-Laurent ou de tous les fauves du monde entier, des photos de vaches et de chevaux, de requins et de baleines, d'okapis et d'ornithorynques. Des photos de gens, aussi. Des gens vieux et des enfants. Des gens de partout sur la Terre. Sur les planchers, il y avait des piles de livres entassées à même le sol, un globe terrestre sur pied qui devait bien avoir deux cents ans, et un gros panier pour qu'Elvis puisse se coucher dedans.

Bill s'est adressé à Tommy :

— On n'a pas dû te le dire, mon garçon, mais

c'est moi qui t'ai sorti du terrier où tu étais, avec tes frères et ta sœur, il y a quatre ans.

Bill nous a donc raconté toute l'histoire de cette nuit-là, qu'on ne connaissait tous les trois que par ouï-dire. Tommy était fasciné. Je ne l'avais jamais vu aussi éveillé, posant autant de questions. À un moment, il a demandé :

— Est-ce que vous savez d'où je viens, alors, monsieur Bill ?

Bill a dit qu'il enquêtait là-dessus depuis des années.

Il avait fouillé dans les archives des journaux. Il avait feuilleté des livres rares et anciens à la bibliothèque municipale. Il était allé ensuite parler à des gens, à d'anciens policiers et à son ami Florent Dominique qui enseignait à l'université. Il avait suivi beaucoup de pistes et fait des tonnes de recherches, mais il n'avait pas encore trouvé la solution.

— Pour le moment, j'ai deux histoires qui pourraient expliquer d'où tu viens. Veux-tu les entendre ?

Tommy a dit oui, bien sûr, alors Bill a continué :

— À peu près six ans avant qu'on te trouve dans ton terrier, il y a eu un gros accident dans le parc des Laurentides. Un autobus a fait une embardée et a fini dans le décor, renversé sur le côté. Il y a eu

44

plusieurs morts, y compris une femme qui voyageait avec son bébé. En fait, c'était plus terrible encore : le nourrisson n'a pas été porté disparu avant que les proches des victimes viennent réclamer le corps de leur oncle ou de leur petite sœur le lendemain de la catastrophe. Les policiers sont repartis sur les lieux de l'accident à toute vitesse et se sont mis à farfouiller partout aux alentours. En vain. On n'a jamais retrouvé le petit. Ce n'est pas impossible que tu sois l'enfant perdu.

Tommy a dit :

— Je trouve ça dur à croire.

Bill a souri et il a dit :

— C'est ce que les policiers ont pensé eux autres aussi. Ils ne se sont pas donné beaucoup de mal pour trouver le bébé. Aujourd'hui, personne ne se rappelle le nom de la femme qui est morte. Ce n'était pas quelqu'un de par ici et les dossiers ont disparu. Mais si tu trouves ça dur à croire, j'ai peur que la deuxième histoire n'arrange rien pour toi. C'est une légende amérindienne. La légende de la guerre des loups.

La légende dit qu'il y a très longtemps, les hommes et les loups étaient des peuples égaux qui marchaient sur deux pattes. Deux peuples toujours

en guerre. Les hommes et les loups se détestaient comme ils se craignent aujourd'hui. Un jour, il y a eu une bataille tellement sanglante qu'elle n'a laissé presque aucun survivant, des deux côtés. Des milliers d'hommes et de loups étaient morts et il ne restait à chacun des camps qu'une poignée de guerriers éclopés. Le grand chef des hommes et le grand chef des loups se sont rencontrés en conseil. Il fallait que ce conflit cesse afin d'éviter que leurs deux peuples s'éteignent. Ils ont donc scellé une trêve, en faisant le serment du crachat. Ils ont décidé que chacun élèverait l'un des enfants de l'autre jusqu'à la maturité. Il n'y aurait plus de guerre tant que la chair de leur chair s'alignerait parmi les combattants du clan ennemi.

Quand le petit homme et le petit loup sont devenus grands, chacun est retourné vivre chez les siens. La haine entre les peuples a recommencé à mijoter, tranquillement. Le grand esprit de la forêt, Manitou, ne voulait pas que les hostilités reprennent, alors il leur est apparu en rêve à tous. Il leur a dit que désormais, à chaque génération, un bébé homme naîtrait chez les loups et qu'un bébé loup naîtrait chez les hommes. Comme de fait, au printemps suivant, une femme a accouché d'un loup et une louve a accouché d'une petite fille. La paix est devenue permanente. Car Manitou le leur avait bien dit : si jamais les hommes ou les loups en venaient à mal prendre soin d'un enfant de l'autre race, le monde entier serait détruit par un déluge.

Les temps ont passé. Les Blancs sont arrivés et sont devenus les nouveaux ennemis des Indiens. Et les loups, plus sages, ont repris à quatre pattes le chemin de la forêt, en renonçant à vivre comme des êtres humains. Mais, d'après la légende, les hommes et les loups seraient toujours les gardiens les uns des autres.

Tommy a dit :

— Vous pensez vraiment que je suis né d'une louve, monsieur Bilodeau ?

Bill a haussé les épaules :

— Tout se peut, comme disait ma vieille mère. Je ne sais pas trop quoi penser moi-même, mais remarque bien que je ne pensais jamais trouver un petit garçon dans un terrier de loups. Mon ami le professeur Dominique m'a dit que certains Ilnus du Lac-Saint-Jean célèbrent encore une sorte de rituel pour honorer la trêve millénaire. Ils appellent ça la cérémonie des loups. Il n'en sait pas plus, mais il m'a donné le nom et l'adresse d'une dame de la réserve

de Mashteuiatsh qui connaît bien toutes ces histoires-là. Une certaine Rita Kurtness, qui dirige un refuge pour les animaux. Je pense que toi pis moi, on devrait aller la voir.

Tommy avait l'air sceptique. Il a dit :

— Faudrait que je demande la permission à mon père avant.

Et Bill a répondu :

— Je vais parler à ton père, mon garçon. Prépare-toi à faire un petit voyage la semaine prochaine.

Bill m'a fait un clin d'œil de connivence.

— Et jure-moi que d'ici là, tu n'iras pas faire quelque chose de niaiseux comme de te sauver pour retourner vivre dans le bois avec les loups.

Tommy a dit « juré » et il a proposé de sceller l'accord en faisant le serment du crachat.

Bill n'était pas trop sûr, mais Tommy a insisté.

4

LA CÉRÉMONIE DES LOUPS

O N A S U P P L I É nos parents, mon frère et moi, de nous laisser les accompagner, mais ma mère nous a expliqué que c'était une aventure que Tommy devait vivre seul, pour lui-même. On a donc su la suite uniquement de la bouche de Bill, quand il est rentré du Lac-Saint-Jean et qu'il est venu cogner à notre porte.

Il était blanc comme un linge, comme s'il avait vu un mort.

Il nous a dit qu'ils étaient partis le samedi matin, au début de l'après-midi.

Bill a roulé bien lentement et s'est arrêté souvent parce qu'il pleuvait des cordes. Ils ont quitté Arvida et pris la route 170 pour monter jusqu'à

Larouche puis Saint-Bruno. Ils ont pris ensuite la route 169 à Métabetchouan. Tommy regardait par la fenêtre les grandes fermes et les villages. Ils ont longé ensuite le lac Saint-Jean qui était agité comme la mer du Nord à partir de la fourche pour Saint-André-de-l'Épouvante. Ils ont aussi fait un stop à Chambord pour manger un hot-dog et boire un Red Champagne, la boisson gazeuse typique du Lac-Saint-Jean, qui goûte à la fois la cerise, le nectar et le crème soda.

Après avoir dépassé Roberval, ils ont tourné vers Mashteuiatsh par le boulevard Beemer.

Bill s'est arrêté pour regarder son plan. Ils ont ensuite tourné à gauche sur la rue Nishk avant de s'enfoncer dans les terres par un petit chemin de gravelle qui serpentait dans le bois. Madame Kurtness restait loin du lac et en retrait du village. Au bout d'une route étouffée par les arbres.

Ils sont arrivés devant une petite maison avec aucune lumière allumée. La maison avait l'air abandonnée.

Ils ont débarqué de l'auto. Des chiens-loups sont sortis de leurs niches au fond du terrain et se sont mis à hurler à la mort. Il ne faisait pas encore noir, mais on ne voyait pas grand-chose avec la pluie et la brume. Bill a cogné à la porte.

— Madame Kurtness ? C'est votre cousin Florent Dominique qui m'envoie. Madame Kurtness ?

Il n'y a pas eu de réponse. Tout ce qu'on entendait, c'est le vent qui sifflait dans l'entretoit et le grognement des huskies.

Ils étaient prêts à repartir quand ils ont entendu une femme hurler, au loin, dans la forêt. Bill a dit à Tommy de prendre la grosse lampe de poche parce qu'il allait bientôt faire noir. Ils se sont enfoncés d'un bon pas vers la ligne d'arbres et la source du hurlement. C'était le crépuscule et c'était déjà difficile d'y voir quoi que ce soit. Les nuages s'étaient dissipés. Le soleil bas vous dardait ses rayons directement dans les yeux à travers le maigre feuillage, mais son feu était diffus et ne suffisait plus à repousser l'avancée des ténèbres. Tommy et Bill avançaient dans un paysage squelettique où les arbres et leurs branches pesantes ressemblaient aux pattes griffues d'un géant enterré sous leurs pieds.

Bill a demandé :

— As-tu peur ?

Tommy a répondu :

— Non. Allons voir ce qu'il y a là-bas.

Ils ont marché lentement dans la forêt jusqu'à ce qu'ils arrivent à une petite clairière qui s'ouvrait dans le chemin devant deux crans de roche très hauts. Au milieu du chemin, ils voyaient une vieille femme, de dos, tout emmitouflée dans une grosse couverture de laine, avec de longs cheveux gris qui lui descendaient jusqu'aux fesses.

Bill a dit :

— Madame Kurtness ?

Elle a répondu :

— Qu'est-ce que tu veux, toé ?

— Je m'appelle Bill Bilodeau, madame. Je suis venu ici pour parler de la cérémonie des loups.

— Tu tombes bien, Bilodeau. La cérémonie des loups, c'est à soir.

Bill a trouvé la coïncidence étrange, inquiétante, tout comme la vitesse avec laquelle la nuit leur était tombée dessus. Il ne pouvait pas être plus que six heures et quart, et il faisait déjà noir comme chez le Diable.

— Qu'est-ce que c'est pour vous, ce rituel-là ?

— Rien de compliqué, Bilodeau. C'est la nuit dans l'année où les loups et les Ilnus s'échangent les enfants mélangés. Moi, ça fait onze ans que les

loups viennent me voir pour ravoir leurs petits pis ça fait onze ans que je leur dis : Pas tant que vous m'aurez pas ramené mon enfant. Mon petit-fils.

Bill a froncé les sourcils.

— Je comprends pas, madame Kurtness. Parlez-vous de loups imaginaires ou de loups en esprits ? Parce que moi, je vois pas de vrais loups aux alentours...

Madame Kurtness s'est retournée. Bill et Tommy ont vu qu'elle était très vieille et qu'elle avait un air fatigué et triste. Ils ont vu aussi qu'elle tenait dans ses mains un gros fusil.

— Es-tu sûr d'avoir bien regardé, Bilodeau ?

La nuit était tombée pour de bon. Bill a demandé à Tommy de promener le faisceau de la lampe de poche dans la noirceur devant eux tandis qu'ils habituaient leurs yeux à la pénombre.

Alors ils ont vu.

Sur le plateau et dans les collines, il y avait des dizaines et des dizaines de loups qui les dévisageaient avec leurs grands yeux rouges.

Bill a reculé d'un pas en mettant un bras devant Tommy. Les loups grognaient et montraient les dents. Certains se sont mis à pousser des hurlements. Ils étaient à peine à vingt pas de madame

Kurtness, Tommy et Bill. Les loups n'auraient eu que quelques enjambées à faire pour leur fondre dessus et les dévorer. Pour Bill et Tommy, il était trop tard pour s'enfuir. Madame Kurtness a tiré un coup de fusil en l'air et a crié :

— Fermez vos yeules, les loups !

Et c'est là qu'il est arrivé quelque chose de vraiment bizarre. Tommy s'est libéré de l'étreinte de Bill et a marché vers la vieille femme. Arrivé auprès d'elle, le petit garçon a dit :

— Madame Kurtness, tu peux laisser partir tes loups. Je suis revenu.

Bill s'est exclamé :

— Voyons, Tommy, es-tu fou ?

Tommy lui a pointé du doigt, à quelques mètres d'eux, trois grands loups attachés par des chaînes à un gros piquet.

Un loup tout blanc.

Un loup tout noir.

Et un loup tout gris.

— Tu comprends pas encore, monsieur Bill ? Tu as dit qu'il y avait deux histoires pour expliquer d'où je viens, mais tu t'es trompé. Il y a seulement une histoire. Mon histoire.

Et Bill a compris.

Madame Kurtness a regardé Tommy pendant deux secondes, puis ses yeux se sont remplis de larmes. Elle s'est penchée et a serré le petit garçon tellement fort dans ses bras qu'elle a failli le casser en deux.

Tommy a dit un mot ilnu et madame Kurtness a répondu avec un autre et Bill n'a jamais oublié ces mots-là, ni ce qu'ils voulaient dire et que son ami le professeur Dominique lui a révélé plus tard.

Tommy a dit « *Kukum* » et madame Kurtness a dit « *Mahikaniss* ».

Dans la langue des Ilnus, *kukum,* ça veut dire « grand-mère », et *mahikaniss,* « petit-loup ».

Quand madame Kurtness a relâché son étreinte un peu, Tommy a fait quelques pas de côté. Il a libéré les deux loups et la louve, pour que sa fratrie adoptive puisse rejoindre elle aussi sa vraie famille. Tu aurais cru que ça serait dangereux, de détacher trois loups adultes, comme ça, mais les grosses bêtes sont venues près de lui bien lentement et se sont frottées contre ses hanches comme des gros chatons. Elles ont gambadé vers la noirceur et ont poussé quelques grands cris avec les autres loups. Ça a fait comme une grande cacophonie, joyeuse et terrifiante à la fois.

La lampe de poche, par terre, n'éclairait plus l'horizon. Bill a cligné deux ou trois fois des yeux. Le temps qu'il se réhabitue à voir dans la pénombre, tous les loups avaient disparu. Il ne restait, dans le halo de la lampe de poche, qu'un petit garçon Ilnu tout enchevêtré dans les bras de sa grand-mère.

5

L'ENFANT-ILNU

BILL est resté un peu avec eux dans la petite maison de madame Kurtness. Ils n'ont pas parlé beaucoup. Tommy et Bill ont appelé le père de Tommy à Arvida pour lui dire que tout allait bien et que Tommy passerait la nuit là-bas. Madame Kurtness ne disait pas grand-chose. Elle faisait juste tenir Tommy dans ses bras comme si elle voulait rattraper en une soirée onze ans de câlins manqués. Tommy, lui, avait l'air heureux. Il venait de perdre une troisième maman, mais il avait gagné une nouvelle famille, et tout un peuple.

Évidemment, il n'était pas un loup-garou. Il était bien un être humain, juste pas un Blanc.

Bill Bilodeau est venu chez mes parents tout de suite après pour nous raconter l'histoire, à ma mère, mon père, mon frère et moi. Il s'est assis pesamment sur une chaise dans la cuisine et nous a dit :

— Vous allez avoir de la misère à croire celle-là.

Effectivement, on n'en croyait pas nos oreilles. Bill n'arrêtait pas de répéter lui-même : « J'ai mon voyage. » Quand il a eu terminé, ma mère lui a demandé :

— Ça veut dire que jamais personne a pensé à dire à madame Kurtness qu'il y avait un petit garçon, dans le terrier, avec les trois loups qu'on lui avait apportés au refuge ?

Bill a répondu :

— Jamais. Les polices ont pas raconté cette histoire-là à beaucoup de monde. Et pis madame Kurtness tenait un refuge pour animaux, pas un orphelinat. Elle avait pas besoin de savoir ça. Tout ce qu'elle savait, c'est que les loups avaient été recueillis par des hommes et qu'un jour, les autres loups viendraient les chercher. Elle honorait la cérémonie des loups en espérant que son petit-fils disparu lui revienne. Les policiers lui avaient dit, après l'accident, que le corps sans vie de son petit-fils avait sans doute été projeté dans la forêt et emporté par les bêtes sauvages. Les gens au village aussi lui ont demandé souvent au fil des ans d'arrêter son ramdam avec les loups. Mais madame Kurtness faisait confiance à Manitou, l'esprit de la forêt.

Mon père a demandé aussi :

— Ça veut-tu dire que, d'une certaine manière, la mère de Tommy et la mère des loups savaient ce qui allait se passer... dans le futur ?

Bill s'est fait craquer les doigts, il a fait un clin d'œil à ma mère et il a dit :

— Va savoir ce que ça sait, une femme. Pis ce que ça sait pas.

*

AUJOURD'HUI, Tommy est vieux. Je veux dire : vieux comme moi, à peu près. On en a souvent des nouvelles par Bill Bilodeau, avec qui il est demeuré ami.

Après la cérémonie des loups, Tommy a fini son école primaire avec nous, en habitant chez son père. Pour son secondaire, ils ont déménagé tous les deux à Mashteuiatsh. Michel a été adopté par les Ilnus. Il faut savoir qu'« Ilnu », ça veut dire « être humain » et que, comme dit madame Kurtness :

— Ils ne sont plus nombreux, de cette race-là, mais à Mashteuiatsh, ceux qui restent sont les bienvenus.

Aujourd'hui, Tommy s'occupe du refuge de sa grand-mère, avec son père qui donne aussi des cours d'informatique aux enfants de la réserve. Il est amoureux d'une fille qui s'appelle Stéphanie et qui enseigne le français à l'école primaire de la réserve. Ça fait des années qu'il hésite à se déclarer. Tommy est timide, comme son père. Mais ça viendra. De temps en temps, il descend à Arvida pour venir chercher des animaux recueillis et soignés par Bill Bilodeau. Tommy aussi est l'ami des animaux aujourd'hui. Il prend un café avec Bill, ils se racontent leurs malheurs, puis Tommy repart et ramène les animaux avec lui au refuge. À chaque fois, il arrête chez mon père, quelques maisons plus loin, pour prendre des nouvelles de mon frère et moi. Est-ce qu'on joue encore au baseball ? Est-ce qu'on a des enfants ? Est-ce qu'on va venir à Noël ?

Pour lui faire plaisir, l'année dernière, j'ai amené mes filles le voir travailler. Je l'ai dit, Tommy a gardé ouvert le refuge pour animaux de sa grand-mère qui est très vieille, mais ce n'est pas ça son vrai travail. Son vrai travail, c'est au Zoo de Saint-Félicien.

On est partis de bon matin pour y aller, en faisant la même route que Bill et Tommy, jadis, pour monter au Lac-Saint-Jean. Les petites étaient bien énervées. Elles ont fait le tour du zoo à la course, presque rien ne pouvait retenir leur attention, à part peut-être les ours polaires. Elles avaient juste envie de voir Tommy.

Au Zoo de Saint-Félicien, il y a les Sentiers de la nature. On s'entasse dans de petits wagons sur roues, attachés les uns derrière les autres et tirés par un gros camion tout-terrain. C'est un voyage dans le temps. On se promène pendant une heure dans un gigantesque parc où le train passe à travers une ferme d'antan, un camp de bûcherons, un poste de traite et un ranch. Durant toute la visite, on peut voir des dizaines et des dizaines d'animaux qui vivent dans le parc en liberté.

Les filles ont vu des chiens de prairie, des marmottes, des ratons laveurs et des porcs-épics ; des wapitis, des rennes, des chevreuils et des orignaux ; des ours noirs et des renards roux ; des bœufs musqués qui sont comme des taureaux préhistoriques et des bisons qui sont comme des chars d'assaut

avec une couverture en laine sur le dos. Les filles
ont vu des castors nager dans le petit lac et autour
de leur barrage, au milieu des bernaches, des col-
verts, des canards branchus, des oies et des grands
cygnes chanteurs.

Les filles s'amusaient beaucoup, mais elles n'arrêtaient pas de demander quand elles allaient voir
Tommy.

— Qu'est-ce qu'il fait, ici, Tommy ? Dis-nous-le.
Et j'ai répondu :
— Soyez patientes.

Nous sommes arrivés au meilleur moment de la
visite, en vue d'un enclos immense qu'on rencontre
aux deux tiers du parcours et qui est comme une
petite forêt isolée du reste du parc.

— Voyez-vous, les filles, ici, dans les Sentiers de la
nature, il y a une meute d'animaux qu'on ne peut pas
mélanger avec les autres, parce qu'ils sont indomp-
tables. Ce sont des animaux qui chassent avec intel-
ligence et qui sortent la nuit pour hurler à la lune.
Ils sont les plus anciens et les plus fiers ennemis
des hommes. Et il y a une seule personne qui peut
aller dans leur enclos quand l'un d'entre eux est
malade ou qu'ils ont besoin de secours. Une seule

personne qui peut marcher parmi la meute sans danger, parce qu'elle en fait partie depuis toujours.

Les filles ne m'écoutaient déjà plus, mais j'ai quand même ajouté :

— Tommy prend soin des loups.

Fin

Bill Bilodeau, l'ami des animaux,
vous reviendra dans

LA NUIT DES BÊTES PUANTES

COLLECTION PORC-ÉPIC

SAMUEL ARCHIBALD vit au milieu des enfants sauvages depuis huit ans et essaye comme il peut de dompter sa belle-fille aux yeux noisette, sa fille aux yeux bleus et son petit garçon aux yeux pers. Il aime le baseball, la pêche à la mouche et raconter des histoires. Il aime aussi les animaux, mais pas autant que Bill Bilodeau.

Il est l'auteur d'*Arvida* et de *Quinze pour cent*, deux livres remplis d'histoires pour les grands, belles et mystérieuses comme la neige en été.

JULIE ROCHELEAU est illustratrice et auteure de bande dessinée. Elle a réalisé des histoires de fous sanguinaires pour Dargaud (*La colère de Fantômas*), d'adolescentes fluettes pour Glénat Québec (*La fille invisible*) et de petits garnements pour La Pastèque (*La petite patrie*). Quand elle ne dessine pas, elle court des marathons, apprend le nom des oiseaux et regarde pas mal de films. Elle vit à Montréal dans un appartement encombré de livres avec son amoureux et son chat, Limace.

Achevé d'imprimer au Québec
en novembre 2015 sur papier Rolland Opaque
par l'imprimerie Gauvin.